José Cadalso

Noches lúgubres

Barcelona 2024
Linkgua-ediciones.com

Créditos

Título original: Noches lúgubres.

© 2024, Red ediciones S.L.

e-mail: info@linkgua.com

Diseño de la colección: Michel Mallard.

ISBN rústica ilustrada: 978-84-9953-579-1.
ISBN ebook: 978-84-9897-850-6.

Sumario

Brevísima presentación

La vida

José Cadalso y Vázquez (Cádiz, 8 de octubre de 1741-Gibraltar, 26 de febrero de 1782). España.

Su familia procedía por línea paterna del señorío de Vizcaya. Su madre murió durante el parto, y su padre estaba en América y tardó doce años en volver. Fue educado por un tío jesuita, el padre Mateo Vázquez. Cadalso viajó muy joven por Francia, Inglaterra, Italia y Alemania, cuyos idiomas dominaba.

Tras una temporada en el Seminario de Nobles de Madrid, vivió de nuevo en París y Londres hasta la muerte de su padre (1761). Entonces regresó a España y se alistó en el regimiento de caballería de Borbón en 1762, participando en la campaña de Portugal.

Destacado su regimiento a Madrid, Cadalso se relacionó con el poderoso conde de Aranda, presidente del Consejo de Castilla.

Tras unos meses de destierro, Cadalso regresó a Madrid. Por entonces se enamoró de la actriz María Ignacia Ibáñez, quien murió de tifus, a los veinticinco años, el 22 de abril de 1771. Se dice que Cadalso, desesperado ante su muerte, intentó desenterrarla. Poco después escribió *Noches lúgubres*, obra inspirada en este suceso.

En 1777 fue ascendido a comandante de escuadrón. Dos años más tarde participó en el asedio de Gibraltar y fue ascendido a coronel en 1781. Murió el 27 de febrero de 1782, herido por el impacto en la sien de un fragmento de metralla.

Personajes

Tediato
Lorenzo
Niño
La Justicia
Sepulturero
Carcelero

Noche primera

Tediato y un Sepulturero

Diálogo

Tediato

¡Qué noche! La oscuridad, el silencio pavoroso, interrumpido por los lamentos que se oyen en la vecina cárcel, completan la tristeza de mi corazón. El cielo también se conjura contra mi quietud, si alguna me quedara. El nublado crece. La luz de esos relámpagos..., ¡qué horrorosa! Ya truena. Cada trueno es mayor que el que le antecede, y parece producir otro más cruel. El sueño, dulce intervalo en las fatigas de los hombres, se turba. El lecho conyugal, teatro de delicias; la cuna en que se cría la esperanza de las casas; la descansada cama de los ancianos venerables; todo se inunda en llanto..., todo tiembla. No hay hombre que no se crea mortal en este instante... ¡Ay, si fuese el último de mi vida, cuán grato sería para mí! ¡Cuán horrible ahora! ¡Cuán horrible! Más lo fue el día, el triste día que fue causa de la escena en que ahora me hallo.

Lorenzo no viene. ¿Vendrá, acaso? ¡Cobarde! ¿Le espantará este aparato que Naturaleza le ofrece? No ve lo interior de mi corazón... ¡Cuánto más se horro-

9

rizaría! ¿Si la esperanza del premio le traerá? Sin duda..., el dinero... ¡Ay, dinero, lo que puedes! Un pecho solo se te ha resistido... Ya no existe... Ya tu dominio es absoluto... Ya no existe el solo pecho que se te ha resistido.

Las dos están al caer... Ésta es la hora de cita para Lorenzo... ¡Memoria! ¡Triste memoria! ¡Cruel memoria! Más tempestades formas en mi alma que nubes en el aire. También ésta es la hora en que yo solía pisar estas mismas calles en otros tiempos muy diferentes de éstos. ¡Cuán diferentes! Desde aquélla a éstos todo ha mudado en el mundo; todo, menos yo.

¿Si será de Lorenzo aquella luz trémula y triste que descubro? Suya será. ¿Quién sino él, y en este lance, y por tal premio, saldría de su casa? Él es. El rostro pálido, flaco, sucio, barbado y temeroso; el azadón y pico que trae al hombro, el vestido lúgubre, las piernas desnudas, los pies descalzos, que pisan con turbación; todo me indica ser Lorenzo, el sepulturero del templo, aquel bulto, cuyo encuentro horrorizaría a quien le viese. Él es, sin duda; se acerca; desembózome, y le enseño mi luz. Ya llega. ¡Lorenzo! ¡Lorenzo!

Lorenzo   Yo soy. Cumplí mi palabra. Cumple ahora tú la tuya: ¿el dinero que me prometiste?

Tediato	Aquí está. ¿Tendrás valor para proseguir la empresa, como me lo has ofrecido?
Lorenzo	Sí; porque tú también pagas el trabajo.
Tediato	¡Interés, único móvil del corazón humano! Aquí tienes el dinero que te prometí. Todo se hace fácil cuando el premio es seguro; pero el premio es justo una vez ofrecido.
Lorenzo	¡Cuán pobre seré cuando me atreví a prometerte lo que voy a cumplir! ¡Cuánta miseria me oprime! Piénsala tú, y yo... harto haré en llorarla. Vamos.
Tediato	¿Traes la llave del templo?
Lorenzo	Sí; ésta es.
Tediato	La noche es tan oscura y espantosa.
Lorenzo	Y tanto, que tiemblo y no veo.
Tediato	Pues dame la mano y sigue; te guiaré y te esforzaré.
Lorenzo	En treinta y cinco años que soy sepulturero, sin dejar un solo día de enterrar alguno o algunos cadáveres, nunca he trabajado en mi oficio hasta ahora con horror.

Tediato	Es que en ella me vas a ser útil; por eso te quita el cielo la fuerza del cuerpo y del ánimo. Ésta es la puerta.
Lorenzo	¡Que tiemble yo!
Tediato	Anímate... Imítame.
Lorenzo	¿Qué interés tan grande te mueve a tanto atrevimiento? Paréceme cosa difícil de entender.
Tediato	Suéltame el brazo. Como me lo tienes asido con tanta fuerza, no me dejas abrir con esta llave... Ella parece también resistirse a mi deseo... Ya abre, entremos.
Lorenzo	Sí..., entremos... ¿He de cerrar por dentro?
Tediato	No; es tiempo perdido y nos pudieran oír. Entorna solamente la puerta porque la luz no se vea desde afuera si acaso pasa alguno..., tan infeliz como yo, pues de otro modo no puede ser.
Lorenzo	He enterrado por mis manos tiernos niños, delicias de sus mayores; mozos robustos, descanso de sus padres ancianos; doncellas hermosas, y envidiadas de las que quedaban vivas; hombres en lo fuerte de su edad, y colocados en altos empleos; viejos venerables, apoyos del Estado...

Nunca temblé. Puse sus cadáveres entre otros muchos ya corruptos, rasgué sus vestiduras en busca de alguna alhaja de valor; apisoné con fuerza y sin asco sus fríos miembros, rompiles las cabezas y huesos; cubrilos de polvo, ceniza, gusanos y podre, sin que mi corazón palpitase..., y ahora, al pisar estos umbrales, me caigo..., al ver el reflejo de esa lámpara me deslumbro..., al tocar esos mármoles me hielo..., me avergüenzo de mi flaqueza. No la refieras a mis compañeros. ¡Si lo supieran, harían mofa de mi cobardía!

Tediato — Más harían de mí los míos, al ver mi arrojo. ¡Insensatos, qué poco saben!... ¡Ah! Me serían tan odiosas por su dureza como yo sería necio en su concepto por mi pasión.

Lorenzo — Tu valor me alienta. Mas ¡ay, nuevo espanto! ¿Qué es aquello? Presencia humana tiene... Crece conforme nos acercamos... Otro fantasma más le sigue... ¿Qué será? Volvamos mientras podemos; no desperdiciemos las pocas fuerzas que aún nos quedan... Si aún conservamos algún valor, válganos para huir.

Tediato — ¡Necio! Lo que te espanta es tu misma sombra con la mía, que nacen de la postura de nuestros cuerpos respecto de aquella lámpara. Si el otro mundo abortase esos prodigiosos entes, a quienes nadie ha visto, y de quienes todos hablan, sería el bien o el mal que nos traerían siempre inevitables. Nunca los he hallado; los he buscado.

Lorenzo   ¡Si los vieras!

Tediato   Aún no creería a mis ojos. Juzgara tales fantasmas monstruos producidos por una fantasía llena de tristeza. ¡Fantasía humana, fecunda solo en quimeras, ilusiones y objetos de terror! La mía me los ofrece tremendos en estas circunstancias... Casi bastan a apartarme de mi empresa.

Lorenzo   Eso dices porque no los has visto; si los vieras, temblaras aún más que yo.

Tediato   Tal vez en aquel instante, pero en el de la reflexión me aquietara. Si no tuviese miedo de malgastar estas pocas horas, las más preciosas de mi vida, y tal vez las últimas de ella, te contara con gusto cosas capaces de sosegarte...; pero dan las dos... ¡Qué sonido tan triste el de esa campana! El tiempo urge. Vamos, Lorenzo.

Lorenzo   ¿Adónde?

Tediato   A aquella sepultura; sí, a abrirla.

Lorenzo	¿A cuál?
Tediato	A aquélla.
Lorenzo	¿A cuál? ¿A aquella humilde y baja? Pensé que querías abrir aquel monumento alto y ostentoso, donde enterré pocos días ha al duque de Faustotimbrado, que había sido muy hombre de palacio y, según sus criados me dijeron, había tenido en vida el manejo de cosas grandes. Figuróseme que la curiosidad o interés te llevaba a ver si encontrabas algunos papeles ocultos, que tal vez se enterrasen con su cuerpo. He oído, no sé dónde, que ni aun los muertos están libres de las sospechas y aun envidias de los cortesanos.
Tediato	Tan despreciables son para mí muertos como vivos, en el sepulcro como en el mundo, podridos como triunfantes, llenos de gusanos como rodeados de aduladores... No me distraigas... Vamos, te digo otra vez, a nuestra empresa.
Lorenzo	No; pues al túmulo inmediato a ése, y donde yace el famoso indiano, tampoco tienes que ir; porque aunque en su muerte no se le halló la menor parte de caudal que se le suponía, me consta que no enterró nada consigo, porque registré su cadáver: no se halló siquiera un doblón en su mortaja.

Tediato	Tampoco vendría yo de mi casa a su tumba por todo el oro que él trajo de la infeliz América a la tirana Europa.
Lorenzo	Sí será, pero no extrañaría yo que vinieses en busca de su dinero. Es tan útil en el mundo...
Tediato	Poca cantidad, sí, es útil, pues nos alimenta, nos viste y nos da las pocas cosas necesarias a la breve y mísera vida del hombre; pero mucha es dañosa.
Lorenzo	¡Hola! ¿Y por qué?
Tediato	Porque fomenta las pasiones, engendra nuevos vicios y a fuerza de multiplicar delitos invierte todo el orden de la Naturaleza; y lo bueno se sustrae de su dominio sin el fin dichoso... Con él no pudieron arrancarme mi dicha. ¡Ay! Vamos.
Lorenzo	Sí, pero antes de llegar allá hemos de tropezar en aquella otra sepultura, y se me eriza el pelo cuando paso junto a ella.
Tediato	¿Por qué te espanta esa más que cualquiera de las otras?
Lorenzo	Porque murió de repente el sujeto que en ella se enterró. Estas muertes repentinas me asombran.

Tediato

Debiera asombrarte el poco número de ellas. Un cuerpo tan débil como el nuestro, agitado por tantos humores, compuesto de tantas partes invisibles, sujeto a tan frecuentes movimientos, lleno de tantas inmundicias, dañado por nuestros desórdenes y, lo que es más, movido por una alma ambiciosa, envidiosa, vengativa, iracunda, cobarde y esclava de tantos tiranos..., ¿qué puede durar? ¿Cómo puede durar? No sé cómo vivimos. No suena campana que no me parezca tocar a muerto. A ser yo ciego, creería que el color negro era el único de que se visten... ¿Cuántas veces muere un hombre de un aire que no ha movido la trémula llama de una lámpara? ¿Cuántas de una agua que no ha mojado la superficie de la tierra? ¿Cuántas de un Sol que no ha entibiado una fuente? ¡Entre cuántos peligros camina el hombre el corto trecho que hay de la cuna al sepulcro! Cada vez que siento el pie, me parece hundirse el suelo, preparándome una sepultura... Conozco dos o tres hierbas saludables; las venenosas no tienen número. Sí, sí..., el perro me acompaña, el caballo me obedece, el jumento lleva la carga..., ¿y qué? El león, el tigre, el leopardo, el oso, el lobo e innumerables otras fieras nos prueban nuestra flaqueza deplorable.

Lorenzo	Ya estamos donde deseas.
Tediato	Mejor que tu boca, me lo dice mi corazón. Ya piso la losa, que he regado tantas veces con mi llanto y besado tantas veces con mis labios. Ésta es. ¡Ay, Lorenzo! Hasta que me ofreciste lo que ahora me cumples, ¡cuántas tardes he pasado junto a esta piedra, tan inmóvil como si parte de ella fuesen mis entrañas! Más que sujeto sensible, parecía yo estatua, emblema del dolor. Entre otros días, uno se me pasó sobre ese banco. Los que cuidan de este templo, varias veces me habían sacado del letargo, avisándome ser la hora en que se cerraban las puertas. Aquel día olvidaron su obligación y mi delirio: fuéronse y me dejaron. Quedé en aquellas sombras, rodeado de sepulcros, tocando imágenes de muerte, envuelto en tinieblas, y sin respirar apenas, sino los cortos ratos que la congoja me permitía, cubierta mi fantasía, cual si fuera con un negro manto de densísima tristeza. En uno de estos amargos intervalos, yo vi, no lo dudes, yo vi salir de un hoyo inmediato a ése un ente que se movía, resplandecían sus ojos con el reflejo de esa lámpara, que ya iba a extinguirse. Su color era blanco, aunque algo ceniciento. Sus pasos eran pocos, pausados y dirigidos a mí... Dudé... Me llamé cobarde... Me levanté...., y fui a en-

contrarle... El bulto proseguía, y al ir a tocarle yo, y él a mí..., óyeme...

Lorenzo	¿Qué hubo, pues?
Tediato	Óyeme... Al ir a tocarle yo y él horroroso vuelto a mí, en aquel lance de tanta confusión... apagose del todo la luz.
Lorenzo	¿Qué dices? ¿Y aún vives?
Tediato	Sí; y con grande atención.
Lorenzo	En aquel apuro, ¿qué hiciste? ¿Qué pudiste hacer?
Tediato	Me mantuve en pie, sin querer perder el terreno que había ganado a costa de tanto arrojo y valentía. Era invierno. Las doce serían cuando se esparció la oscuridad por el templo; oí la una..., las dos..., las tres..., las cuatro... Siempre haciendo el oído el mismo oficio de la vista.
Lorenzo	¿Qué oíste? Acaba, que me estremezco.
Tediato	Una especie de resuello no muy libre. Procurando tentar, conocí que el cuerpo del bulto huía de mi tacto. Mis dedos parecían mojados en sudor frío y asqueroso; y no hay especie de monstruo, por horrendo, extravagante e inexplicable que sea, que no se me presentase. Pero ¿qué es

la razón humana si no sirve para vencer a todos los objetos y aun a sus mismas flaquezas? Vencí todos estos espantos. Pero la primera impresión que hicieron, el llanto derramado antes de la aparición, la falta de alimento, la frialdad de la noche y el dolor que tantos días antes rasgaba mi corazón, me pusieron en tal estado de debilidad, que caí desmayado en el mismo hoyo de donde había salido el objeto terrible. Allí me hallé por la mañana en brazos de muchos concurrentes piadosos que habían acudido a dar al Criador las alabanzas y cantar los himnos acostumbrados. Lleváronme a mi casa, de donde volví en breve al mismo puesto. Aquella misma tarde hice conocimiento contigo y me prometiste lo que ahora va a finalizar.

Lorenzo

Pues esa misma tarde eché menos en casa (poco te importará lo que voy a decirte, pero para mí es el asunto de más importancia), eché menos un mastín que suele acompañarme, y no pareció hasta el día siguiente. ¡Si vieras qué ley me tiene! Suele entrarse conmigo en el templo, y mientras hago la sepultura, ni se aparta un instante de mí. Mil veces, tardando en venir los entierros, le he solido dejar echado sobre mi capa, guardando la pala, el azadón y demás trastos de mi oficio.

Tediato	No prosigas, me basta lo dicho. Aquella tarde no se hizo el entierro. Te fuiste, el perro se durmió dentro del hoyo mismo. Entrada ya la noche se despertó, nos encontramos solos él y yo en la iglesia (mira qué causa tan trivial para un miedo tan fundado al parecer), no pudo salir entonces, y lo ejecutaría al abrir las puertas y salir el Sol, lo que yo no pude ver por causa de mi desmayo.
Lorenzo	Ya he empezado a alzar la losa de la tumba. Pesa infinito. ¡Si verás en ella a tu padre! Mucho cariño le tienes cuando por verle pasas una noche tan dura... Pero ¡el amor de hijo! Mucho merece un padre.
Tediato	¡Un padre! ¿Por qué? Nos engendran por su gusto, nos crían por obligación, nos educan para que los sirvamos, nos casan para perpetuar sus nombres, nos corrigen por caprichos, nos desheredan por injusticia, nos abandonan por vicios suyos.
Lorenzo	Será tu madre... Mucho debemos a una madre.
Tediato	Aún menos que al padre. Nos engendran también por su gusto, tal vez por su incontinencia. Nos niegan el alimento de la leche, que Naturaleza las dio para este único y sagrado fin, nos vician con su mal ejemplo, nos sacrifican a sus intereses,

nos hurtan las caricias que nos deben y
las depositan en un perro o en un pájaro.

Lorenzo   ¿Algún hermano tuyo te fue tan unido
que vienes a visitar los huesos?

Tediato   ¿Qué hermano conocerá la fuerza de
esta voz? Un año más de edad, algunas
letras de diferencia en el nombre, igual
esperanza de gozar un bien de dudoso de-
recho y otras cosas semejantes imprimen
tal odio en los hermanos que parecen
fieras de distintas especies y no frutos de
un vientre mismo.

Lorenzo   Ya caigo en lo que puede ser: aquí yace
sin duda algún hijo que se te moriría en
lo más tierno de su edad.

Tediato   ¡Hijos! ¡Sucesión! Éste que antes era te-
soro con que Naturaleza regalaba a sus
favorecidos, es hoy un azote con que
no debiera castigar sino a los malvados.
¿Qué es un hijo? Sus primeros años...,
un retrato horrendo de la miseria humana. Enfermedad, flaqueza, estupidez,
molestia y asco... Los siguientes años...,
un dechado de los vicios de los brutos,
poseídos en más alto grado..., lujuria,
gula, inobediencia... Más adelante, un
pozo de horrores infernales..., ambición,
soberbia, envidia, codicia, venganza, traición y malignidad; pasando de ahí... Ya

no se mira el hombre como hermano de los otros, sino como a un ente supernumerario en el mundo. Créeme, Lorenzo, créeme. Tú sabrás cómo son los muertos, pues son el objeto de tu trato...; yo sé lo que son los vivos... Entre ellos me hallo con demasiada frecuencia... Éstos son..., no..., no hay otros; todos a cual peor... Yo sería peor que todos ellos si me hubiera dejado arrastrar de sus ejemplos.

Lorenzo   ¡Qué cuadro el que pintas!

Tediato   La Naturaleza es el original; no adulo, pero tampoco la agravio. No te canses, Lorenzo. Nada significan esas voces que oyes de padre, madre, hermano, hijo y otras tales; y si significan el carácter que vemos en los que así se llaman, no quiero ser ni tener hijo, hermano, padre, madre, ni me quiero a mí mismo, pues algo he de ser de todo esto.

Lorenzo   No me queda que preguntarte más que una cosa; y es, a saber, si buscas el cadáver de algún amigo.

Tediato   ¿Amigo? ¿Eh? ¿Amigo? ¡Qué necio eres!

Lorenzo   ¿Por qué?

Tediato   Sí; necio eres, y mereces compasión, si crees que esa voz tenga el menor sentido.

¡Amigos! ¡Amistad! Esa virtud sola haría feliz a todo el género humano. Desdichados son los hombres desde el día que la desterraron o que ella los abandonó. Su falta es el origen de todas las turbulencias de la sociedad. Todos quieren parecer amigos; nadie lo es. En los hombres, la apariencia de la amistad es lo que en las mujeres el afeite y composturas. Belleza fingida y engañosa... Nieve que cubre un muladar... Darse las manos y rasgarse los corazones; ésta es la amistad que reina. No te canses; no busco el cadáver de persona alguna de los que puedes juzgar. Ya no es cadáver.

Lorenzo	Pues si no es cadáver, ¿qué buscas? Acaso tu intento sería hurtar las alhajas del templo, que se guardan en algún soterráneo, cuya puerta te se figura ser la losa que empiezo a levantar.
Tediato	Tu inocencia te sirva de excusa. Queden en buena hora esas alhajas establecidas por la piedad y trabaja con más brío.
Lorenzo	Ayúdame; mete esotro pico por allí y haz fuerza conmigo.
Tediato	¿Así?
Lorenzo	Sí, de este modo. Ya va en buen estado.

Tediato	¿Quién me diría dos meses ha que me había de ver en este oficio? Pasáronse más aprisa que el sueño, dejándome tormento al despertar, desapareciéronse como humo que deja las llamas abajo y se pierde en el aire. ¿Qué haces, Lorenzo?
Lorenzo	¡Qué olor! ¡Qué peste sale de la tumba! No puedo más.
Tediato	No me dejes; no me dejes, amigo. Yo solo no soy capaz de mantener esta piedra.
Lorenzo	La abertura que forma ya da lugar para que salgan esos gusanos que se ven con la luz de mi farol.
Tediato	¡Ay, qué veo! Todo mi pie derecho está cubierto de ellos. ¡Cuánta miseria me anuncian! En éstos, ¡ay!, ¡en éstos se ha convertido tu carne! ¡De tus hermosos ojos se han engendrado estos vivientes asquerosos! ¡Tu pelo, que en lo fuerte de mi pasión llamé mil veces no solo más rubio, sino más precioso que el oro, ha producido esta podre! ¡Tus blancas manos, tus labios amorosos se han vuelto materia y corrupción! ¡En qué estado estarán las tristes reliquias de tu cadáver! ¡A qué sentido no ofenderá la misma que fue el hechizo de todos ellos!

Lorenzo	Vuelvo a ayudarte, pero me vuelca ese vapor... Ahora empieza. Más, más, más; ¿qué lloras? No pueden ser sino lágrimas tuyas las gotas que me caen en las manos... ¡Sollozas! ¡No hablas! Respóndeme.
Tediato	¡Ay! ¡Ay!
Lorenzo	¿Qué tienes? ¿Te desmayas?
Tediato	No, Lorenzo.
Lorenzo	Pues habla. Ahora caigo en quién es la persona que se enterró aquí... ¿Eras pariente suyo? No dejes de trabajar por eso. La losa está casi vencida, y por poco que ayudes, la volcaremos, según vemos. Ahora, ahora, ¡ay!
Tediato	Las fuerzas me faltan.
Lorenzo	Perdimos lo adelantado.
Tediato	Ha vuelto a caer.
Lorenzo	Y el Sol va saliendo, de modo que estamos en peligro de que vayan viniendo las gentes y nos vean.
Tediato	Ya han saludado al Criador algunas campanas de los vecinos templos en el toque matutino. Sin duda lo habrán ya ejecutado los pájaros en los árboles con mú-

sica más natural y más inocente y, por tanto, más digna. En fin, ya se habrá desvanecido la noche. Solo mi corazón aún permanece cubierto de densas y espantosas tinieblas. Para mí nunca sale el Sol. Las horas todas se pasan en igual oscuridad para mí. Cuantos objetos veo en lo que llaman día, son a mi vista fantasmas, visiones y sombras cuando menos...; algunos son furias infernales.

Razón tienes. Podrán sorprendernos. Esconde ese pico y ese azadón. No me faltes mañana a la misma hora y en el propio puesto. Tendrás menos miedo, menos tiempo se perderá. Vete, te voy siguiendo. Objeto antiguo de mis delicias... ¡Hoy objeto de horror para cuantos te vean! Montón de huesos asquerosos... ¡En otros tiempos conjunto de gracias! ¡Oh tú, ahora imagen de lo que yo seré en breve! Pronto volveré a tu tumba, te llevaré a mi casa, descansarás en un lecho junto al mío; morirá mi cuerpo junto a ti, cadáver adorado, y expirando incendiaré mi domicilio, y tú y yo nos volveremos ceniza en medio de las de la casa.

Noche segunda

Tediato, la Justicia y después un Carcelero

Diálogo

Tediato   ¡Qué triste me ha sido ese día! Igual a la noche más espantosa me ha llenado de pavor, tedio, aflicción y pesadumbre. ¡Con qué dolor han visto mis ojos la luz del astro, a quien llaman benigno los que tienen el pecho menos oprimido que yo! El Sol, la criatura que dicen menos imperfecta imagen del Criador, ha sido objeto de mi melancolía. El tiempo que ha tardado en llevar sus luces a otros climas me ha parecido tormento de duración eterna... ¡Triste de mí! Soy el solo viviente a quien sus rayos no consuelan. Aun la noche, cuya tardanza me hacía tan insufrible la presencia del Sol, es menos gustosa, porque en algo se parece al día. No está tan oscura como yo quisiera. ¡La Luna! ¡Ah, Luna! Escóndete, no mires en este puesto al más infeliz mortal.

¡Que no se hayan pasado más que dieciséis horas desde que dejé a Lorenzo! ¿Quién lo creyera? ¡Tales han sido para mí! Llorar, gemir, delirar... Los ojos fijos en su retrato, las mejillas bañadas en lágrimas, las manos juntas pidiendo mi muerte al cielo, las rodillas flaqueando bajo el peso de mi cuerpo, así desmayado; solo un corto resuello me distinguía de un cadáver. ¡Qué asustado quedó Virtelio, mi amigo, al entrar en mi cuarto y hallarme de esa manera! ¡Pobre Virtelio! ¡Cuánto trabajaste para hacerme tomar algún alimento! Ni fuerza en mis manos para tomar el pan, ni en mis brazos para llevarlo a la boca, si alguna vez llegaba. ¡Cuán amargos son bocados mojados con lágrimas! Instante..., me mantuve inmóvil. Se fue sin duda cansado... ¿Quién no se cansa de un amigo como yo, triste, enfermo, apartado del mundo, objeto de la lástima de algunos, del menosprecio de otros, de la burla de muchos? ¡Qué mucho me dejase! Lo extraño es que me mirase alguna vez. ¡Ah, Virtelio! ¡Virtelio! Pocos instantes más que hubieses permanecido mío, te hubieran dado fama de amigo verdadero. Pero ¿de qué te serviría? Hiciste bien en dejarme; también te hubiera herido la mofa de los hombres. Dejar a un amigo infeliz, conjurarte con la suerte contra un triste, aplaudir la inconstancia del mundo, imitar lo duro de las entrañas comunes, acompañar con tu risa la risa universal, que es eco de los llantos de un mísero... Sigue, sigue... Éste es el camino de la fortuna... Adelántate a los otros: admirarán tu talento. Yo le vi salir... Murmuraba de la flaqueza de mi ánimo. La Naturaleza sin duda murmuraba de la dureza del suyo. Éste es el menos pérfido de todos mis amigos; otros ni aun eso hicieron. Tediato se muere, dirían unos; otros repetirían: se muere Tediato. De mi vida y de mi muerte hablarían como del tiempo bueno o malo suelen hablar los poderosos, no como los pobres a quien tanto importa el tiempo. La luz del Sol, que iba faltando, me sacó del letargo cruel. La tiniebla me traía el consuelo que arrebata a todo el mundo. Todo el consuelo que siente toda la naturaleza al parecer el Sol, le sentí todo junto al ponerse. Dije mil veces preparándome a salir: bienvenida seas, noche, madre de delitos, destructora de la hermosura, imagen del caos de que salimos. Duplica tus horrores; mientras más densas, más gustosas me serán tus tinieblas. No tomé alimento; no enjugué las lágrimas; púseme el vestido más lúgubre; tomé este acero, que será..., ¡ay!, sí; será quien consuele de una vez todas mis cuitas. Vine a este puesto; espero a Lorenzo.

Desengañado de las visiones y fantasmas, duendes, espíritus y sombras, me ayudará con firmeza a levantar la losa; haré el robo... ¡El robo! ¡Ay! Era mía; sí, mía; yo, suyo. No, no, la agravio; me agravio: éramos uno. Su alma, ¿qué era sino la mía? La mía, ¿qué era sino la suya? Pero ¿qué voces se oyen? Muere, muere, dice una de ellas. ¡Qué me matan!, dice otra voz. Hacia mí vienen corriendo varios hombres. ¿Qué haré? ¿Qué veo? El uno cae herido al parecer... Los otros huyen retrocediendo por donde han venido. Hasta mis plantas viene batallando con las ansias de la muerte. ¿Quién eres? ¿Quién eres? ¿Quiénes son los que te siguen? ¿No respondes? El torrente de sangre que arroja por boca y por herida me mancha todo... Es muerto, ha expirado asido de mi pierna. Siento pasos a este otro lado. Mucha gente llega; el aparato es de ser comitiva de la justicia.

| Justicia | Pues aquí está el cadáver, y ese hombre está ensangrentado, tiene la espada en la mano, y con la otra procura desasirse del muerto, parece indicar no ser otro el asesino. Prended a ese malvado. Ya sabéis lo importante de este caso. El muerto es un personaje cuyas calidades no permiten el menor descuido de nuestra parte. Sabéis los antecedentes de este asesinato que se proponían. Atadle. Desde esta noche te puedes contar por muerto, infame. Sí, ese rostro, lo pálido de su semblante, su turbación, todo indica, o aumenta los indicios que ya tenemos... En breve tendrás muerte ignominiosa y cruel. |

Tediato

Tanto más gustosa... Por extraño camino me concede el cielo lo que le pedí días ha con todas mis veras...

Justicia	¡Cuál se complace con su delito!
Tediato	¡Delito! Jamás le tuve. Si lo hubiera tenido, él mismo hubiera sido mi primer verdugo, lejos de complacerme en él. Lo que me es gustosa es la muerte... Dádmela cuanto antes, si os merezco alguna misericordia. Si no sois tan benigno, dejadme vivir; ése será mi mayor tormento. No obstante, si alguna caridad merece un hombre, que la pide a otro hombre, dejadme un rato llegar más cerca de ese templo, no por valerme de su asilo, sino por ofrecer mi corazón a...
Justicia	Tu corazón en que engendras maldades.
Tediato	No injuries a un infeliz; mátame sin afrentarme. Atormenta mi cuerpo, en quien tienes dominio, no insultes una alma que tengo más noble..., un corazón más puro..., sí, más puro, más digna habitación del Ser Supremo, que el mismo templo en que yo quería... Ya nada quiero... Haz lo que quieras de mí... No me preguntes quién soy, cómo vine aquí, qué hacía, qué intentaba hacer, y apuren los verdugos sus crueldades en mí; las verás todas vencidas por mi fineza.
Justicia	Llevadle aprisa, no salgan al encuentro sus compañeros.

Tediato	Jamás los tuve: ni en la maldad, porque jamás fui malo; ni en la bondad, porque ninguno me ha igualado en lo bueno. Por eso soy el más infeliz de los hombres. Cargad más prisiones sobre mí. Ministros feroces: ligad más esos cordeles con que me arrastráis cual víctima inocente. Y tú, que en ese templo quedas, únete a tu espíritu inmortal, que exhalaste entre mis brazos, si lo permite quien puede, y ven a consolarme en la cárcel, o a desengañar a mis jueces. Salga yo valeroso al suplicio o inocente al mundo. ¡Pero no! Agraviado o vindicado, muera yo, muera yo y en breve.
Justicia	Su delito le turba los sentidos; andemos, andemos.
Tediato	¿Estamos ya en la cárcel?
Justicia	Poco falta.
Tediato	Quien encuentre la comitiva de la justicia llevando a un preso ensangrentado, pálido, mal vestido, cargado de cadenas que le han puesto y de oprobios que le dicen, ¿qué dirá? Allá va un delincuente. Pronto lo veremos en el patíbulo; su muerte será horrorosa, pero saludable espectáculo. ¡Viva la justicia! Castíguense los delitos. Arránquese de la sociedad los que turben

su quietud. De la muerte de un malvado se asegura la vida de muchos buenos. Así irán diciendo de mí; así irán diciendo. En vano les diría mi inocencia. No me creerían; si la jurara, me llamarían perjuro sobre malvado. Tomaría por testigos de mi virtud a esos astros; darían su giro sin cuidarse del virtuoso que padece ni del inicuo que triunfa.

Justicia	Ya estamos en la cárcel.
Tediato	Sepulcro de vivos, morada de horror, triste descanso en el camino del suplicio, depósito de malhechores, abre tus puertas; recibe a este infeliz.
Justicia	Este hombre quede asegurado; nadie le hable. Ponedle en el calabozo más apartado y seguro; doblad el número y peso de los grillos acostumbrados. Los indicios que hay contra él son casi evidentes. Mañana se le examinará. Prepáresele el tormento por si es tan obstinado como inicuo. Eres responsable de este preso, tú, carcelero. Te aconsejo que no le pierdas de vista. Mira que la menor compasión que para con él puedes tener es tu perdición.
Carcelero	Compasión yo, ¿de quién? ¿De un preso que se me encarga? No me conocéis. Años ha que soy carcelero, y en el discurso de

ese tiempo he guardado los presos que he tenido como si guardara fieras en las jaulas. Pocas palabras, menos alimento, ninguna lástima, mucha dureza, mayor castigo y continua amenaza. Así me temen. Mi voz entre las paredes de esta cárcel es como el trueno entre montes. Asombra a cuantos la oyen. He visto llegar facinerosos de todas las provincias, hombres a quienes los dientes y las canas habían salido entre muertes y robos... Los soldados, al entregármelos, se aplaudían más que de una batalla que hubiesen ganado. Se alegraban de dejarlos en mis manos más que si de ellas sacaran el más precioso saqueo de una plaza sitiada muchos meses; y todo esto no obstante..., a pocas horas de estar bajo mi dominio han temblado los hombres más atroces.

Justicia   Pues ya queda asegurado; adiós otra vez.

Carcelero   Sí, sí; grillos, cadenas, esposas, cepo, argolla, todo le sujetará.

Tediato   Y más que todo mi inocencia.

Carcelero   Delante de mí no se habla; y si el castigo no basta a cerrarte la boca, mordazas hay.

Tediato   Haz lo que quieras; no abriré mis labios. Pero la voz de mi corazón..., aquella voz que penetra el firmamento, ¿cómo me privarás de ella?

Carcelero

Éste es el calabozo destinado para ti. En breve volveré.

Tediato

No me espantan sus tinieblas, su frío, su humedad, su hediondez; no el ruido que han hecho los cerrojos de esa puerta, no el peso de mis cadenas. Peor habitación ocupa ahora... ¡Ay, Lorenzo! Habrás ido al señalado puesto, no me habrás hallado. ¡Qué habrás juzgado de mí! Acaso creerás que miedo, inconstancia... ¡Ay! No, Lorenzo; nada de este mundo ni del otro me parece espantoso, y constancia no me puede faltar, cuando no me ha faltado ya sobre la muerte de quien vimos ayer cadáver medio corrompido. Me acometieron mil desdichas: ingratitud de mis amigos, enfermedad, pobreza, odio de poderosos, envidia de iguales, mofa de parte de mis inferiores... La primera vez que dormí, figuróseme que veía el fantasma que llaman fortuna. Cual suele pintarse la muerte con una guadaña que despuebla el universo, tenía la fortuna una vara con que volvía a todo el globo. Tenía levantado el brazo contra mí. Alcé la frente, la miré. Ella se irritó; o me sonreí, y me dormí; segunda vez se venga de mi desprecio. Me pone, siendo yo justo y bueno, entre facinerosos hoy;

mañana tal vez entre las manos del verdugo; éste me dejará entre los brazos de la muerte. ¡Oh muerte!, ¿por qué dejas que te llamen daño, el mayor de ellos, el último de todos? ¡Tú, daño! Quien así lo diga, no ha pasado lo que yo.

¡Qué voces oigo (¡ay!) en el calabozo inmediato! Sin duda hablan de morir. ¡Lloran! ¡Van a morir, y lloran! ¡Qué delirio! Oigamos lo que dice el mísero insensato que teme burlar de una vez todas sus miserias. No, no escuchemos. Indignas voces de oírse son las que articula el miedo al aparato de la muerte.

¡Ánimo, ánimo, compañero! Si mueres dentro del breve plazo que te señalan, poco tiempo estarás expuesto a la tiranía, envidia, orgullo, venganza, desprecio, traición, ingratitud... Esto es lo que dejas en el mundo. Envidiables delicias dejas por cierto a los que se queden en él; te envidio el tiempo que me ganas; el tiempo que tardaré en seguirte.

Ha callado el que sollozaba, y también dos voces que le acompañaban, una hablándole de... Sin duda fue ejecución secreta. ¿Si se llegarán ahora los ejecutores a mí? ¡Qué gozo! Ya se disipan todas las tinieblas de mi alma. Ven, muerte, con todo tu séquito. Sí, ábrase esa puerta; entren los verdugos feroces manchados aún con la sangre que acaban de derramar a una vara de mí. Si el ser infeliz es culpa, ninguno más reo que yo. ¡Qué silencio tan espantoso ha sucedido a los suspiros del moribundo! Las pisadas de los que salen de su calabozo, las voces bajas con que se hablan, el ruido de las cadenas que sin duda han quitado al cadáver, el ruido de la puerta estremece lo sensible de mi corazón, no obstante lo fuerte de mi espíritu. Frágil habitación de una alma superior a todo lo que Naturaleza puede ofrecer, ¿por qué tiemblas? ¿Ha de horrorizarme lo que desprecio? ¡Si será sueño esta debilidad que siento! Los ojos se me cierran, no obstante la debilidad que en ellos ha dejado el llanto. Sí; reclínome. Agradable concurso, música deliciosa, espléndida mesa, delicado lecho, gustoso sueño encantarán a estas horas a alguno en el tropel del mundo. No se envanezca, lo mismo tuve yo; y ahora... una piedra es mi cabecera, una tabla mi cama, insectos mi compañía. Durmamos. Quizá me despertará una voz que me diga. Ven al tormento; u otra que me diga: Ven al suplicio. Durmamos. ¡Cielos! Si el sueño es imagen de la muerte... ¡Ay! Durmamos.

¡Qué pasos siento! Una corta luz parece que entra por los resquicios de la puerta. La abren; es el carcelero, y le siguen dos hombres. ¿Qué queréis? ¿Llegó por fin la hora inmediata a la de mi muerte? ¡Me la vais a anunciar con semblante de debilidad y compasión o con rostro de entereza y dominio!

Carcelero	Muy diferente es el objeto de nuestra venida. Cuando me aparté de ti, juzgué que a mi vuelta te llevarían al tormento, para que en él declarases los cómplices del asesinato que se te atribuía; pero se han descubierto los autores y ejecutores de aquel delito. Vengo con orden de soltarte. Ea, quítenle las cadenas y grillos: libre estás.
Tediato	Ni aun en la cárcel puedo gozar del reposo que ella me ofrece en medio de sus horrores. Ya iba yo acomodando los cansados miembros de mi cuerpo sobre esta tarima, ya iba tolerando mi cabeza lo duro de esa piedra, y me vienes a despertar, ¿y para qué? Para decirme que no he de morir. Ahora sí que turbas mi reposo... Me vuelves a arrojar otra vez al mundo, al mundo de donde se ausentó lo poco bueno que había en él. ¡Ay! Decidme, ¿es de día?
Carcelero	Aún faltará una hora de noche.
Tediato	Pues voyme. Con tantas contingencias como ofrece la suerte, ¿qué sé yo si mañana nos volveremos a ver?
Carcelero	Adiós.
Tediato	Adiós. Una hora de noche aún falta. ¡Ay! Si Lorenzo estuviese en el paraje de la cita,

tendríamos tiempo para concluir nuestra empresa; se habrá cansado de esperarme. Mañana, ¿dónde le hallaré? No sé su casa. Acudir al templo parece más seguro. Pasareme ahora por el atrio. ¡Noche!, dilata tu duración; importa poco que te esperen con impaciencia el caminante para continuar su viaje y el labrador para seguir su tarea. Domina, noche, domina, y más y más sobre un mundo que por sus delitos se ha hecho indigno del Sol. Quede aquel astro alumbrando a hombres mejores que los de estos climas. Mientras más dure tu oscuridad, más tiempo tendré de cumplir la promesa que hice al cadáver encima de su tumba, en medio de otros sepulcros, al pie de los altares y bajo la bóveda sagrada del templo. Si hay alguna cosa más santa en la tierra, por ella juro no apartarme de mi intento; si a ello faltase yo, si a ello faltase... ¿Cómo había de faltar?

Aquella luz que descubro será..., será acaso la que arde alumbrando a una imagen que está fija en la pared exterior del templo. Adelantemos el paso. Corazón, esfuérzate, o saldrás en breve victorioso de tanto susto, cansancio, terror, espanto y dolor, o en breve dejarás de palpitar en ese miserable pecho. Sí, aquélla es la luz; el aire la hace temblar de modo que tal vez se apagará antes que yo llegue a ella. Pero ¿por eso he de temer la oscuridad? Antes debe serme más gustosa. Las tinieblas son mi alimento. El pie siente algún obstáculo... ¿Qué será? Tentemos. Un bulto, y bulto de hombre. ¿Quién es? Parece como que sale de un sueño. ¡Amigo! ¿Quién es? Si eres algún mendigo necesitado que de flaqueza has caído, y duermes en la calle por faltarte casa en que recogerte y fuerzas para llegarte a un hospital, sígueme; mi casa será tuya; no te espanten tus desdichas; muchas y grandes serán, pero te habla quien las pasa mayores. Respóndeme, amigo... Desahóguese en mi pecho el tuyo; tristes como tú busco yo; solo me conviene la compañía de los míseros; harto tiempo viví con los felices. Tratar con el hombre en la prosperidad es tratarle fuera del mismo. Cuando está cargado de penas, entonces está cual es: cual Naturaleza lo entrega a la vida, y cual la vida le entregará a la muerte; cual fueron sus padres, y cuales serán sus hijos. Amigo, ¿no respondes? Parece joven de corta edad. Niño, ¿quién eres? ¿Cómo has venido aquí?

Niño   ¡Ay, ay, ay!

Tediato   No llores; no quiero hacerte mal. Dime, ¿quién eres? ¿Dónde viven tus padres? ¿Sabes tu nombre? ¿Y el de la calle en que vives?

Niño	Yo soy... Mire usted... Vivo... Venga usted conmigo para que mi padre no me castigue. Me mandó quedar aquí hasta las dos, y ver si pasaba alguno por aquí muchas veces, y que fuera a llamarle. Me he quedado dormido.
Tediato	Pues no temas; dame la manita, toma ese pedazo de pan que me he hallado, no sé cómo, en el bolsillo y llévame a casa de tu padre.
Niño	No está lejos.
Tediato	¿Cómo se llama tu padre? ¿Qué oficio tiene? ¿Tienes madre y hermanos? ¿Cuántos años tienes tú y cómo te llamas?
Niño	Me llamo Lorenzo, como mi padre. Mi abuelo murió esta mañana. Tengo ocho años, y seis hermanos más chicos que yo. Mi madre acaba de morir de sobreparto. Dos hermanos tengo muy malos con viruelas, otro está en el hospital, mi hermana se desapareció desde ayer de casa. Mi padre no ha comido en todo hoy un bocado de la pesadumbre.
Tediato	¿Lorenzo dices que se llama tu padre?
Niño	Sí, señor.

Tediato	¿Y qué oficio tiene?
Niño	No sé cómo se llama.
Tediato	Explícame lo que es.
Niño	Cuando uno se muere, y lo llevan a la iglesia, mi padre es quien...
Tediato	Ya te entiendo; sepulturero, ¿no es verdad?
Niño	Creo que sí, pero aquí estamos ya en casa.
Tediato	Pues llama, y recio.
Sepulturero	¿Quién es?
Niño	Abra usted, padre; soy yo y un señor.
Sepulturero	¿Quién viene contigo?
Tediato	Abre, que soy yo.
Sepulturero	Ya conozco la voz. Ahora bajaré a abrir.
Tediato	¡Qué poco me esperabas aquí! Tu hijo te dirá dónde le he hallado. Me ha contado el estado de tu familia. Mañana nos veremos en el mismo puesto para proseguir nuestro intento, y te diré por qué no nos hemos visto esta noche hasta ahora. Te

compadezco tanto como a mí mismo, Lorenzo, pues la suerte te ha dado tanta miseria y te la multiplica en tus deplorables hijos... Eres sepulturero... Haz un hoyo muy grande, entiérralos todos ellos vivos, y sepúltate con ellos. Sobre tu losa me mataré y moriré diciendo: Aquí yacen unos niños tan felices ahora como eran infelices poco ha, y dos hombres, los más míseros del mundo.

Noche tercera

Tediato y el Sepulturero

Diálogo

Tediato

Aquí me tienes, fortuna, tercera vez expuesto a tus caprichos. Pero ¿quién no lo está? ¿Dónde, cuándo, cómo sale el hombre de tu imperio? Virtud, valor, prudencia, todo lo atropellas. No está más seguro de tu rigor el poderoso en su trono, el sabio en su estudio, que el mendigo en su muladar, que yo en esta esquina lleno de aflicciones, privado de bienes, con mil enemigos por fuera y un tormento interior, capaz por sí solo de llenarme de horrores, aunque todo el orbe procura mi felicidad.

¿Si será esta noche la que ponga fin a mis males? La primera, ¿de qué me sirvió? Truenos, relámpagos, conversación con un ente que apenas tenía la figura humana, sepulcros, gusanos y motivos de cebar mi tristeza en los delitos y flaqueza de los hombres. Si más hubiera sido mi mansión al pie de la sepultura, ¿cuál sería el éxito de mi temeridad? Al acudir al templo el concurso religioso, y hallarme en aquel estado, creyendo que... ¿Qué hubieran creído? Gritarían: Muera ese bárbaro que viene a profanar el templo con molestia de los difuntos y desacato a quien los crió.

La segunda noche... ¡ay!, vuelve a correr mi sangre por las venas con la misma turbación que anoche. Si no has de volver a mi memoria para mi total aniquilación, huye de ella, ¡oh, noche infausta! Asesinato, calumnia, oprobios, cárcel, grillos, cadenas, verdugos, muerte y gemidos... Por no sentir mi último aliento, huya de mí un instante la tristeza; pero apenas se me concede gozar el aire, que está libre para las aves y brutos, cuando me vuelve a cubrir con su velo la desesperación. ¿Qué vi? Un padre de familias, pobre, con su mujer moribunda, hijos parvulillos y enfermos, uno perdido, otro muerto aun antes de nacer, y que mata a su madre aun antes de que ésta le acabe de producir. ¿Qué más vi? ¡Qué corazón el mío, qué inhumano, si no se partió al ver tal espectáculo!... Excusa tiene... Mayores son sus propios males, y aún subsiste. ¡Oh Lorenzo! ¡Oh! Vuélveme a la cárcel, Ser Supremo, si solo me sacaste de ella para que viese tal miseria en las criaturas.

Esta noche, ¿cuál será? ¡Lorenzo, Lorenzo infeliz! Ven, si ya no te detiene la muerte de tu padre, la de tu mujer, la enfermedad de tus hijos, la pérdida de tu hija, tu misma flaqueza. Ven: hallarás en mí un desdichado que padece no solo sus infortunios propios, sino los de todos los infelices a quienes conoce, mirándolos a todos como hermanos; ninguno lo es más que tú. ¿Qué importa que nacieras en la mayor miseria y yo en cuna más delicada? Hermanos nos hace un superior destino, corrigiendo los caprichos de la suerte que divide en arbitrarias clases a los que somos de una misma especie: todos lloramos..., todos enfermamos..., todos morimos.

El mismo horroroso conjunto de cosas de la noche antepasada vuelve a herir mi vista con aquella dulce melancolía... Aquel que allí viene es Lorenzo... Sí, Lorenzo. ¡Qué rostro! Siglos parece haber envejecido en pocas horas; tal es el objeto del pesar, semejante al que produce la alegría o destruye nuestra débil máquina en el momento que la hiere o la debilita para siempre al herirnos en un instante.

Lorenzo

¿Quién eres?

Tediato

Soy el mismo a quien buscas... El cielo te guarde.

Lorenzo

¿Para qué? ¿Para pasar cincuenta años de vida como la que he pasado lleno de infortunios..., y cuando apenas tengo fuerzas para ganar un triste alimento... hallarme con tantas nuevas desgracias en mi mísera familia, expuesta toda a morir con su padre en las más espantosas infelicidades? Amigo, si para eso deseas que me guarde el cielo, ¡ah!, pídele que me destruya.

Tediato

El gusto de favorecer a un amigo debe hacerte la vida apreciable, si se conjuraran en hacértela odiosa todas las calamidades que pasas. Nadie es infeliz si puede hacer a otro dichoso. Y, amigo, más bienes dependen de tu mano que de la magnificencia de todos los reyes. Si fueras emperador de medio mundo..., con el imperio de todo el universo, ¿qué podrías darme que me hiciese feliz? ¿Empleos, dignidades, rentas? Otros tantos motivos para mi propia inquietud y para la malicia ajena. Sembrarías en mi pecho zozobras, recelos, cuidados, tal vez ambición y codicia..., y en los de mis amigos..., envidia. No te deseo con corona y cetro para mi bien... Más contribuirás a mi dicha con ese pico, ese azadón..., viles instrumentos a otros ojos..., venerables a los míos... Andemos, amigo, andemos.

Libros a la carta

A la carta es un servicio especializado para
empresas,
librerías,
bibliotecas,
editoriales
y centros de enseñanza;
y permite confeccionar libros que, por su formato y concepción, sirven a los propósitos más específicos de estas instituciones.

Las empresas nos encargan ediciones personalizadas para marketing editorial o para regalos institucionales. Y los interesados solicitan, a título personal, ediciones antiguas, o no disponibles en el mercado; y las acompañan con notas y comentarios críticos.

Las ediciones tienen como apoyo un libro de estilo con todo tipo de referencias sobre los criterios de tratamiento tipográfico aplicados a nuestros libros que puede ser consultado en Linkgua-ediciones.com.

Linkgua edita por encargo diferentes versiones de una misma obra con distintos tratamientos ortotipográficos (actualizaciones de carácter divulgativo de un clásico, o versiones estrictamente fieles a la edición original de referencia).

Este servicio de ediciones a la carta le permitirá, si usted se dedica a la enseñanza, tener una forma de hacer pública su interpretación de un texto y, sobre una versión digitalizada «base», usted podrá introducir interpretaciones del texto fuente. Es un tópico que los profesores denuncien en clase los desmanes de una edición, o vayan comentando errores de interpretación de un texto y esta es una solución útil a esa necesidad del mundo académico.

Asimismo publicamos de manera sistemática, en un mismo catálogo, tesis doctorales y actas de congresos académicos, que son distribuidas a través de nuestra Web.

El servicio de «libros a la carta» funciona de dos formas.

1. Tenemos un fondo de libros digitalizados que usted puede personalizar en tiradas de al menos cinco ejemplares. Estas personalizaciones pueden ser de todo tipo: añadir notas de clase para uso de un grupo de estudiantes, introducir logos corporativos para uso con fines de marketing empresarial, etc. etc.

2. Buscamos libros descatalogados de otras editoriales y los reeditamos en tiradas cortas a petición de un cliente.